Die Maiasauras
(= Gute-Mutter-Echsen). Die Mütter brüteten die Eier aus und brachten ihren Jungen Futter ins Nest. Sie wurden bis zu 9 Meter lang.

Maia
Das unerschrockene, mutige Maiasaura-Mädchen.

Dino
Der kleine, schüchterne Held dieser Geschichte. Wer zum Kuckuck mochte ihn bloß in Mama Maiasauras Nest gelegt haben?

Stegosaurus
Mit seinen einzigartigen Knochenplatten auf dem Rücken war er einer der auffälligsten Saurier. Er ernährte sich ausschließlich von weichen Pflanzen.

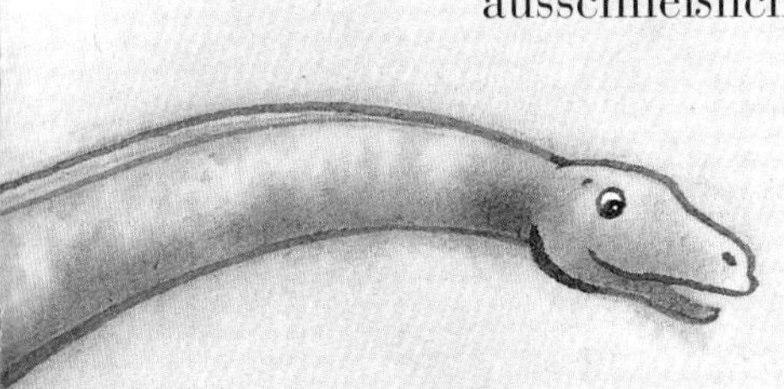

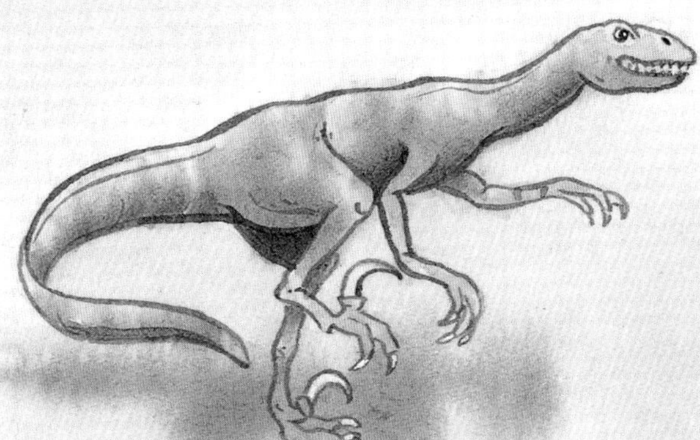

Deinonychus
(= Schreckliche Klaue). Seine sichelförmigen Klauen gaben ihm den Namen. Er gehörte zu den gefürchtetsten Raubsauriern.

Für mutige Mädchen,
für schüchterne Jungen
und für alle,
die spannende Geschichten mögen.

Folgende Bilderbücher sind von **Marcus Pfister** *im Nord-Süd Verlag erschienen:*
Der Regenbogenfisch – Der Weihnachtsstern – Weißt du, wieviel Sternlein stehen – Die vier Lichter des Hirten Simon – Pinguin Pit – Pits neue Freunde – Pit und Pat – Pit ahoi! – Wie Sankt Nikolaus einen Gehilfen fand – Biber Boris – Sonne und Mond – Die müde Eule – Mirjams Geschenk – Hoppel – Hoppel findet einen Freund – Hoppel und der Osterhase – Till & Willy

Marcus Pfister

Der kleine Dino

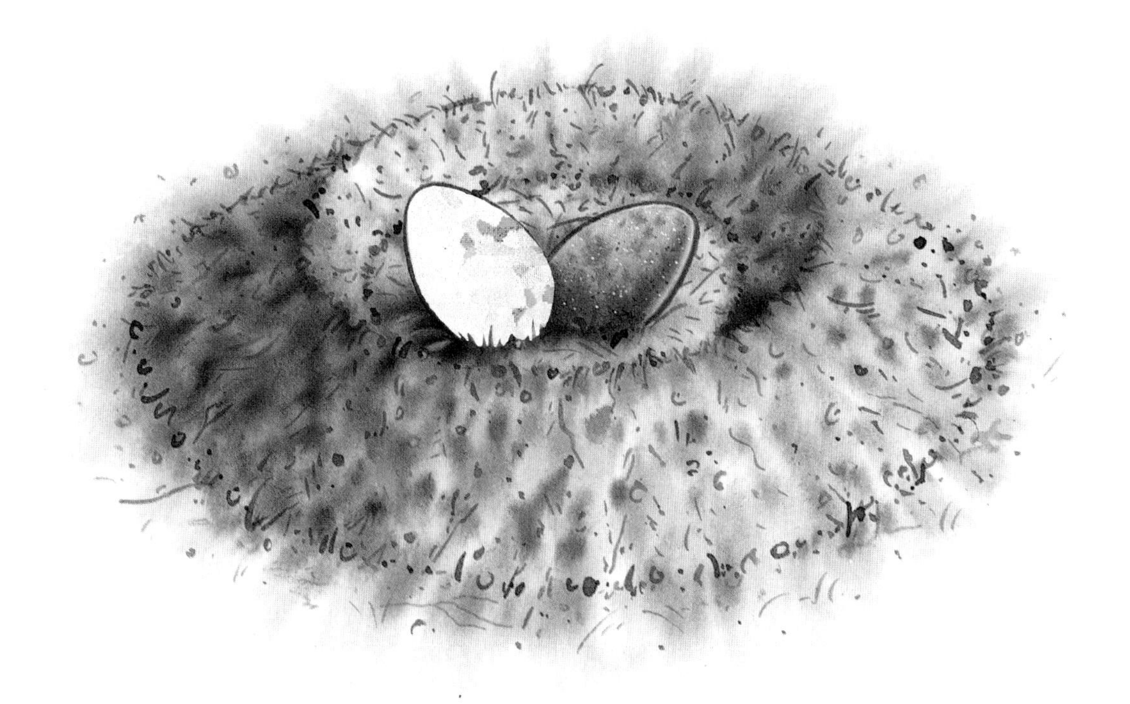

Nord-Süd Verlag

Mama Maiasaura war nur schnell etwas fressen gegangen. Als sie zurückkam, sah sie schon von weitem das schillernde Ei in ihrem Nest. Wunderschön glitzernd lag es neben ihrem eigenen gesprenkelten Dinosaurier-Ei. Wer zum Kuckuck mochte das bloß hineingelegt haben?

Erst vor zehn Tagen war ein junger Deinonychus über ihre Eier hergefallen. Ein einziges hatte Maiasaura vor dem Räuber retten können. Sie freute sich, daß sie jetzt wenigstens zwei Eier ausbrüten durfte. Vor allem aber war sie neugierig, was denn überhaupt aus diesem Wunderei schlüpfen würde.

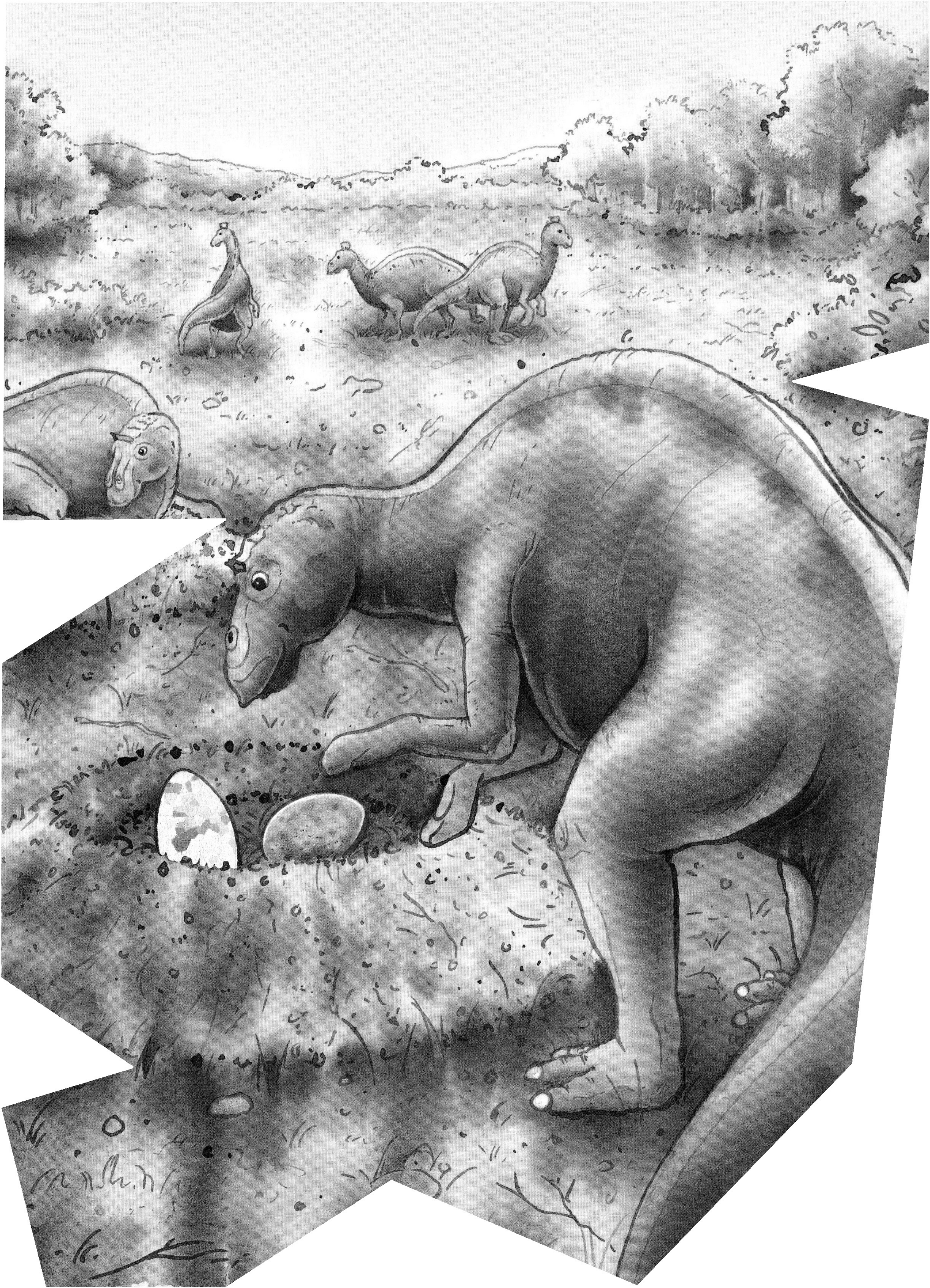

Von nun an bewachte die ganze Maiasaura-Sippe das Nest, und alle warteten gespannt auf den Tag des Schlüpfens. Es war das gesprenkelte Ei, das als erstes zu knacken begann. Maia, das jüngste Maiasaura-Mädchen, durchstieß die Schale und krabbelte auf die Erde. Kurz darauf zersprang auch das glänzende Ei, und heraus schlüpfte, zur Enttäuschung der erwartungsvollen Maiasauras, ein ganz gewöhnliches Dino-Baby. Es war ein bißchen kleiner als Maia, aber sonst wirklich gar nichts Besonderes. Doch dann reckte und streckte sich der Kleine und stellte seinen farbig glitzernden Rückenkamm auf. Die Saurier raunten und staunten, und jeder wollte den Wunderkamm einmal berühren.

Die Maiasauras nannten den kleinen Fremdling Dino. Maia und Dino wuchsen rasch heran und wurden unzertrennliche Freunde.

Bald schon durften sie sich selbständig auf die Futtersuche machen. Nur den Weg zur Wasserstelle mußten sie im Schutz der Saurier-Sippe zurücklegen. Deinonychus und Rex, der Tyrannosaurier, beherrschten nämlich die Gegend und lauerten ihnen überall auf. So lag der gefährliche Gang zum Wasser wie ein Schatten über dem Leben der friedliebenden Tiere.

An einem späten Sommerabend – die anderen Saurier schliefen schon – rückte Maia nahe an Dino heran und flüsterte: «Kannst du auch nicht einschlafen, Dino?»

«Nein, ich muß dauernd an das denken, was uns Mama heute auf dem Weg zur Wasserstelle erzählt hat. An die Höhle mit der eigenen Wasserquelle, in der die Maiasauras einmal gelebt haben.»

«Genau daran habe ich auch gedacht. Und an den schrecklichen Höhlensaurier, der unsere Sippe daraus verjagt hat. Dino, wir müssen versuchen, den Höhlensaurier wieder zu vertreiben, damit die Angst vor Deinonychus und Rex ein Ende hat!»

Dino war begeistert von Maias Idee. Wie sie es anstellen sollten, das Höhlenmonster zu vertreiben, darüber wollten sie sich später Gedanken machen.

Am nächsten Morgen standen die beiden zeitig auf. Natürlich erzählten sie niemandem von ihrem Plan. Mama Maiasaura hätte sie nie ziehen lassen.

«Wir sind hungrig, Mama. Ich suche mir mit Dino etwas zu fressen, und dann gehen wir spielen.»

«Gut, aber bleibt nicht zu lange weg», antwortete die Mama.

Maia und Dino machten sich auf den Weg zum großen Berg, den Mama Maiasaura am vorigen Tag erwähnt hatte. Sie waren schon eine ganze Weile unterwegs, als sie zu einem zerklüfteten Felsenband kamen. Während sie über die Felsbrocken kletterten, begann sich plötzlich die Erde unter ihnen zu bewegen.

«Ein Erdbeben!» rief Maia erschrocken. «Halt dich fest, Dino!»

Es ruckte und rumpelte, und die beiden fielen den Abhang hinunter. Dann war es still, und vor ihnen stand plötzlich ein großer Stegosaurus. Er hatte hinter dem Felsenband geschlafen. Maia und Dino hatten gar nicht bemerkt, daß sie auf seinen eckigen Knochenplatten herumgekraxelt waren!

«Wo kommt ihr denn her?» wollte Stego wissen. «Habt ihr euch verirrt?»

«Nein, nein, wir wollen bloß spielen und etwas zu fressen suchen», sagte Maia.

«Nehmt euch in acht, dass ihr nicht Rex über den Rücken krabbelt!» warnte sie Stego. «Im Ernst, passt in Zukunft ein bißchen besser auf», sagte Stego grinsend.

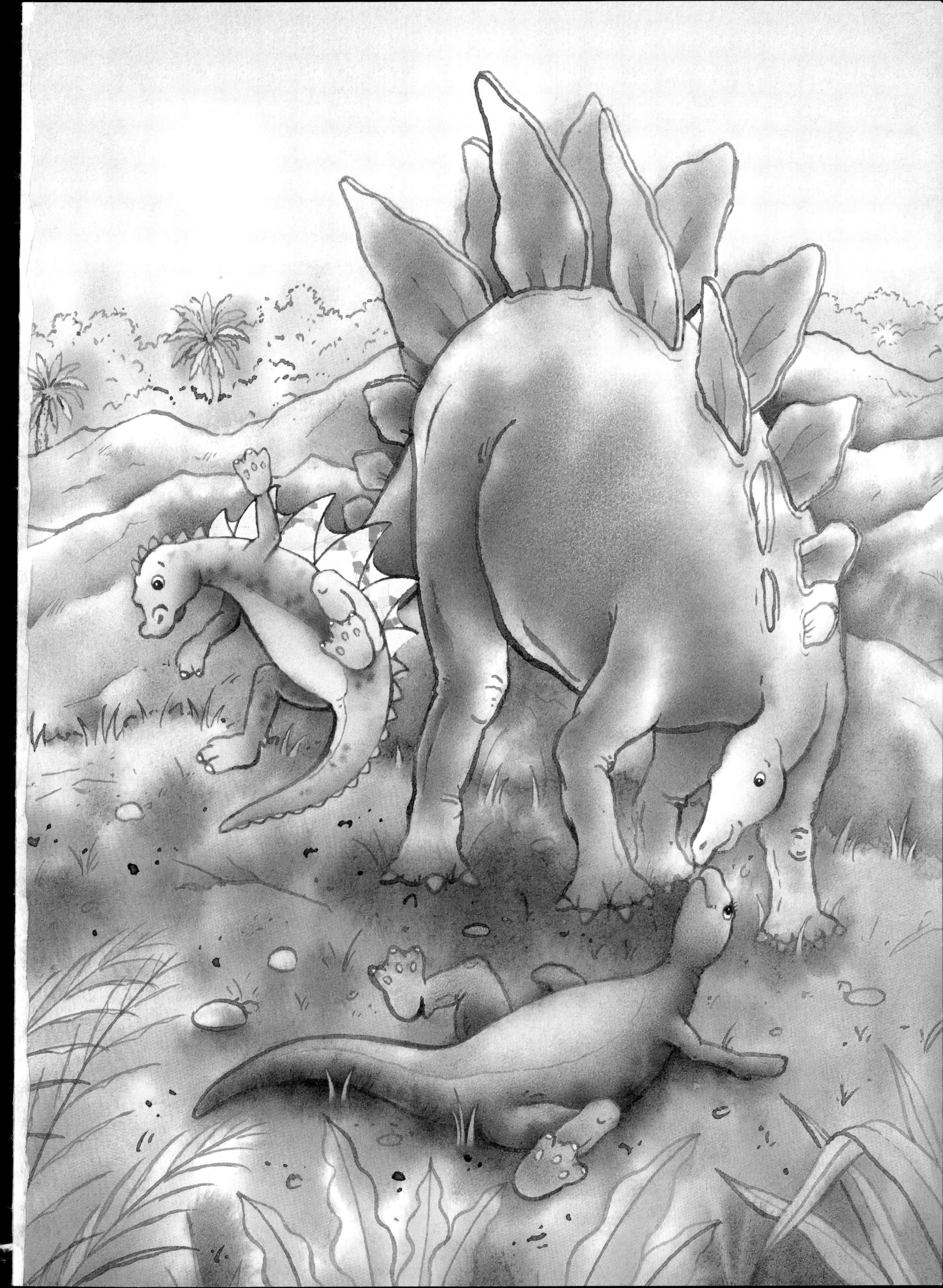

Von jetzt an waren Maia und Dino vorsichtiger. Leise schlichen sie durch den Urzeitwald, und als in der Ferne Zweige knackten und Blätter raschelten, drehte sich Dino blitzschnell um. Da kam auch schon der schreckliche Tyrannosaurus Rex mit polterndem Getrampel auf sie zugestürmt. Maia und Dino liefen in verschiedenen Richtungen davon, um ihm die Jagd zu erschweren. Rex verfolgte den auffällig blitzenden Kamm, und Dino rannte um sein Leben. Im verfilzten Gehölz war er wendiger als sein Verfolger, der immer häufiger im Gestrüpp hängenblieb.

Schließlich gab der Tyrannosaurus auf und trottete davon. Maia sprang erleichtert aus ihrem Versteck hervor. Als sie Dino gefunden hatte, sagte sie:

«Das hast du toll gemacht. So schnell lassen wir uns nicht unterkriegen!»

Bald merkten sie aber, daß sie nicht mehr wußten, wo sie waren. Eine Weile irrten sie durch den Wald. Dann legten sie sich müde unter einen Baum.

«Komm, laß uns ein bißchen ausruhen», sagte Maia. «Das haben wir uns verdient.»

Kaum waren sie eingedöst, da wurden sie von einer tiefen Stimme geweckt. «Macht es euch nur gemütlich!»

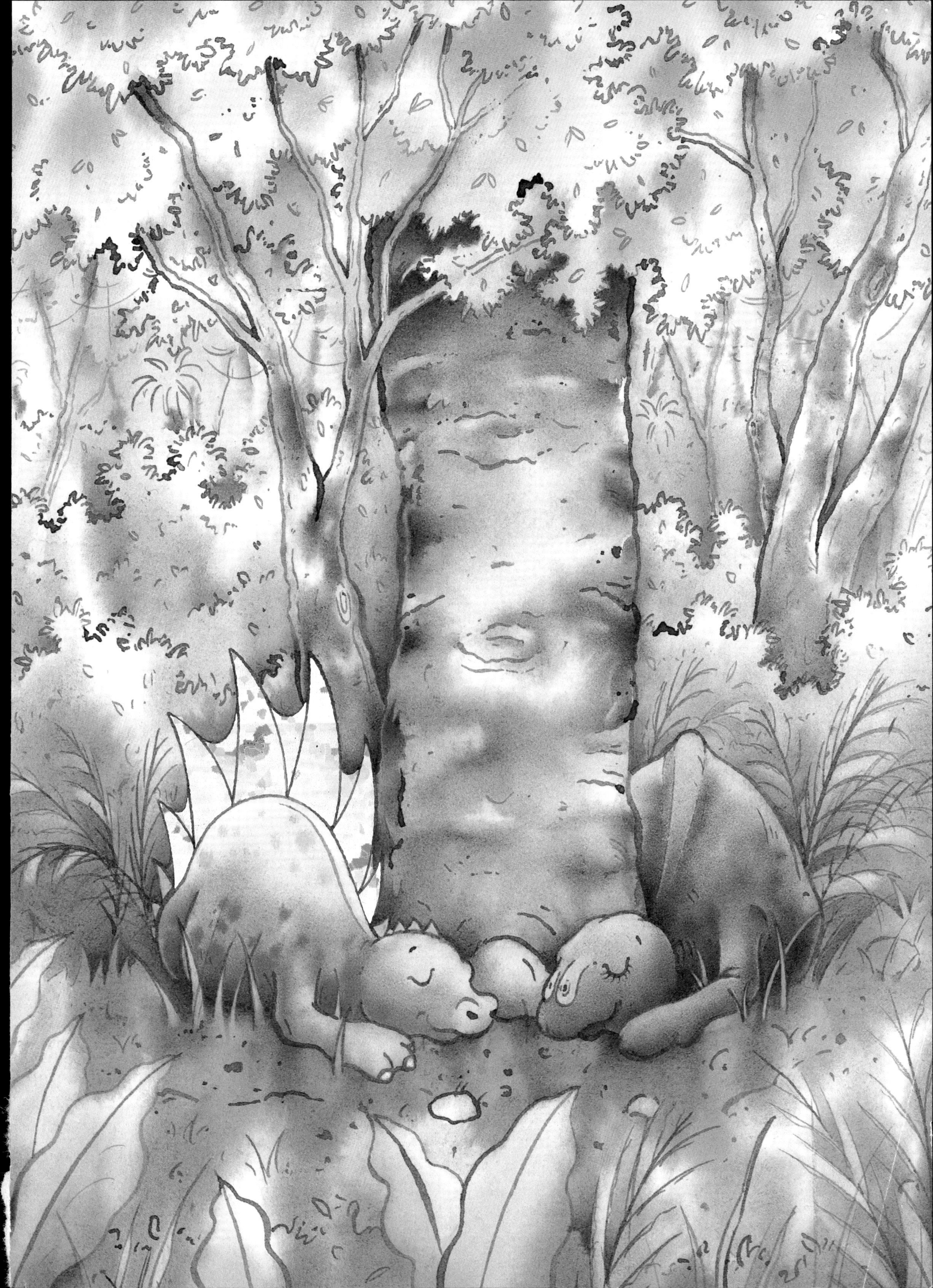

Maia und Dino öffneten die Augen und sahen direkt in das Gesicht von Apatosaurus. Was sie für einen dicken Baumstamm gehalten hatten, war Apatos Bein gewesen.

«Keine Angst, ich tu' euch nichts», brummte Apato.

Erleichtert blieben Maia und Dino liegen und erzählten ihm, daß sie sich verlaufen hatten. «Wir wollten uns die Höhle des Höhlensauriers ansehen. Dort hat unsere Sippe nämlich früher gelebt», erklärte Maia. «Kannst du uns nicht den Weg zeigen?»

Apato wiegte besorgt den Kopf. Er kannte die Höhle und ihren gefährlichen Bewohner. «Na ja, wenn ihr nicht zu nahe geht, könnt ihr sicher einen Blick auf euer ehemaliges Zuhause werfen. Der Höhlensaurier fürchtet das Tageslicht und verläßt darum am Tag nie seine Höhle. Der Weg dorthin ist allerdings noch weit und anstrengend. Quetzalcoatlus fliegt euch aber bestimmt gerne hin.»

Apato rief nach seinem Freund, und bald landete der Flugsaurier auf einem nahe gelegenen Felsen. Maia und Dino stiegen auf seinen Rücken und verabschiedeten sich von Apato.

Quetzalcoatlus nahm einen Anlauf, sprang über die Felskante und schwang sich mit kräftigen Flügelschlägen zum Himmel hinauf. In der Nähe der Höhle setzte er die beiden ab und krähte: «Ich komme euch später holen. Bis bald!»

Leise schlichen die beiden zum Höhleneingang. Maia spähte hinein und entdeckte direkt neben der Quelle das schlafende Ungeheuer.

«Warte hier, Dino. Ich kundschafte die Höhle aus, solange das Monster noch schläft.»

Dino zitterte am ganzen Körper und beobachtete, wie sich Maia Schritt für Schritt in der finsteren Höhle vortastete. Plötzlich erwachte der Höhlensaurier. Röhrend und schnaufend erhob er sich und schnitt Maia den Rückweg ab.

Dino stockte der Atem. Da fiel ihm ein, was Apato gesagt hatte: «Der Höhlensaurier fürchtet das Tageslicht...» Blitzschnell stellte sich Dino so zum Höhleneingang, daß die Strahlen der tiefstehenden Sonne auf seinen glänzenden Rückenkamm trafen und der Widerschein bis in den hintersten Winkel der Höhle fiel. Nun war es drinnen auf einmal taghell. Der Höhlensaurier brüllte auf, bedeckte seine Augen und raste an Dino vorbei ins Freie. Geblendet stürzte das Ungeheuer über einen steilen Abgrund in die Tiefe.

«Wir haben's geschafft! Wir haben's geschafft!»
Maia und Dino vollführten einen richtigen Freudentanz.

Inzwischen war auch Quetzalcoatlus zurückgekehrt. Er konnte kaum glauben, was ihm die beiden berichteten. Rasch machte er sich auf den Weg, um der Maiasaura-Sippe die Botschaft von der Befreiung der Höhle zu überbringen.

Es war schon spät abends, als die Maiasauras bei der Höhle eintrafen. Dino mußte noch die halbe Nacht erzählen, wie er mit seinem glitzernden Rückenkamm den Höhlensaurier bezwungen hatte.

Dann kuschelten sich Maia und Dino müde an Mama. Doch bevor sie einschliefen, nahmen sie noch einen tüchtigen Schluck vom glasklaren, kostbaren Quellwasser.